BENJAMIN CONSTANT

De la liberté comparée à celle des Modernes

Notes et postface de
Louis Lourme

Couverture de
Olivier Fontvieille

ÉDITIONS MILLE ET UNE NUITS

BENJAMIN CONSTANT
n° 566

Texte intégral

La présente édition a été établie d'après Benjamin Constant, *Œuvres politiques*, tome 2, Paris, éd. Charpentier, 1874.

Notre adresse Internet : www.1001nuits.com

Sommaire

BENJAMIN CONSTANT

De la liberté des Anciens comparée à celle des Modernes

Discours prononcé à l'Athénée royal
de Paris en 1819

Messieurs,

Je me propose de vous soumettre quelques distinctions, encore assez neuves, entre deux genres de liberté, dont les différences sont restées jusqu'à ce jour inaperçues, ou du moins trop peu remarquées. L'une est la liberté dont l'exercice était si cher aux peuples anciens ; l'autre, celle dont la jouissance est particulièrement précieuse aux nations modernes. Cette recherche sera intéressante, si je ne me trompe, sous un double rapport.

Premièrement, la confusion de ces deux espèces de liberté a été, parmi nous, durant des époques trop célèbres de notre révolution, la cause de beaucoup de maux. La France s'est vue fatiguée d'essais inutiles, dont les auteurs, irrités par leur peu de succès, ont essayé de la contraindre à jouir du bien qu'elle ne voulait pas, et lui ont disputé le bien qu'elle voulait.

En second lieu, appelés par notre heureuse révolution (je l'appelle heureuse, malgré ses excès, parce que je fixe mes regards sur ses résultats) à jouir des bienfaits d'un gouvernement représentatif, il est curieux et utile de rechercher pourquoi ce gouvernement, le seul à l'abri duquel nous puissions aujourd'hui trouver quelque liberté et quelque repos, a été presque entièrement inconnu aux nations libres de l'Antiquité.

Je sais que l'on a prétendu en démêler des traces chez quelques peuples anciens, dans la république de Lacédémone, par exemple, et chez nos ancêtres les Gaulois ; mais c'est à tort.

Le gouvernement de Lacédémone était une aristocratie monacale, et nullement un gouvernement représentatif. La puissance des rois était limitée ; mais elle l'était par les éphores[1], et non par des hommes investis d'une mission semblable à celle que l'élection confère de nos jours aux défenseurs de nos libertés. Les éphores, sans doute, après avoir été institués par les rois, furent nommés par le peuple. Mais ils n'étaient que cinq. Leur autorité était religieuse autant que politique ; ils avaient part à l'administration même du gouvernement, c'est-à-dire au pouvoir exécutif ; et par là, leur prérogative, comme celle de presque tous

---

1. À Sparte, l'éphorat est une institution qui se compose de cinq magistrats essentiellement chargés d'assurer le respect des lois et de veiller à la bonne conduite des rois. Les cinq éphores sont renouvelés tous les ans. L'institution est abolie par l'empereur romain Hadrien au IIe siècle. (N.d.E.)

les magistrats populaires dans les anciennes républiques, loin d'être simplement une barrière contre la tyrannie, devenait quelquefois elle-même une tyrannie insupportable.

Le régime des Gaulois, qui ressemblait assez à celui qu'un certain parti voudrait nous rendre, était à la fois théocratique et guerrier. Les prêtres jouissaient d'un pouvoir sans bornes. La classe militaire, ou la noblesse, possédait des privilèges bien insolents et bien oppressifs. Le peuple était sans droits et sans garantie.

À Rome, les tribuns avaient, jusqu'à un certain point, une mission représentative. Ils étaient les organes de ces plébéiens que l'oligarchie, qui, dans tous les siècles, est la même, avait soumis, en renversant les rois, à un si dur esclavage. Le peuple exerçait toutefois directement une grande partie des droits politiques. Il s'assemblait pour voter les lois, pour juger les patriciens mis en accusation : il n'y avait donc que de faibles vestiges du système représentatif à Rome.

Ce système est une découverte des Modernes, et vous verrez, Messieurs, que l'état de l'espèce humaine dans l'Antiquité ne permettait pas à une institution de cette nature de s'y introduire ou de s'y établir. Les peuples anciens ne pouvaient ni en sentir la nécessité, ni en apprécier les avantages. Leur organisation sociale les conduisait à désirer une liberté toute différente de celle que ce système nous assure.

C'est à vous démontrer cette vérité que la lecture de ce soir sera consacrée.

Demandez-vous d'abord, Messieurs, ce que, de nos jours, un Anglais, un Français, un habitant des États-Unis de l'Amérique, entendent par le mot de liberté ?

C'est pour chacun le droit de n'être soumis qu'aux lois, de ne pouvoir être ni arrêté, ni détenu, ni mis à mort, ni maltraité d'aucune manière, par l'effet de la volonté arbitraire d'un ou de plusieurs individus. C'est pour chacun le droit de dire son opinion, de choisir son industrie et de l'exercer, de disposer de sa propriété, d'en abuser même ; d'aller, de venir, sans en obtenir la permission, et sans rendre compte de ses motifs ou de ses démarches. C'est, pour chacun, le droit de se réunir à d'autres individus, soit pour conférer sur ses intérêts, soit pour professer le culte que lui et ses associés préfèrent, soit simplement pour remplir ses jours ou ses heures d'une manière plus conforme à ses inclinations, à ses fantaisies. Enfin, c'est le droit, pour chacun, d'influer sur l'administration du gouvernement, soit par la nomination de tous ou de certains fonctionnaires, soit par des représentations, des pétitions, des demandes, que l'autorité est plus ou moins obligée de prendre en considération. Comparez maintenant à cette liberté celle des Anciens.

Celle-ci consistait à exercer collectivement, mais directement, plusieurs parties de la souveraineté tout entière, à délibérer, sur la place publique, de la guerre et de la paix, à conclure avec les étrangers des traités d'alliance, à voter les lois, à prononcer les jugements, à examiner les comptes, les actes, la gestion des magistrats, à les faire comparaître devant tout le peuple, à les mettre en accusation, à les condamner ou à les absoudre ; mais en même temps que c'était là ce que les Anciens nommaient liberté, ils admettaient comme compatible avec cette liberté collective l'assujettissement complet de l'individu à l'autorité de l'ensemble. Vous ne trouverez chez eux presque aucune des jouissances que nous venons de voir faisant partie de la liberté chez les Modernes. Toutes les actions privées sont soumises à une surveillance sévère. Rien n'est accordé à l'indépendance individuelle, ni sous le rapport des opinions, ni sous celui de l'industrie, ni surtout sous le rapport de la religion. La faculté de choisir son culte, faculté que nous regardons comme l'un de nos droits les plus précieux, aurait paru aux Anciens un crime et un sacrilège. Dans les choses qui nous semblent les plus utiles, l'autorité du corps social s'interpose et gêne la volonté des individus. Terpandre[1] ne peut chez les Spartiates ajouter une corde à sa lyre

---

1. Terpandre est un musicien et un poète grec du VIIᵉ siècle avant J.-C., qui fonde à Sparte une école citharédique. Il est l'initiateur de la musique grecque et de la poésie lyrique. (N.d.E.)

sans que les éphores ne s'offensent. Dans les relations les plus domestiques, l'autorité intervient encore. Le jeune Lacédémonien ne peut visiter librement sa nouvelle épouse. À Rome, les censeurs portent un œil scrutateur dans l'intérieur des familles. Les lois règlent les mœurs, et comme les mœurs tiennent à tout, il n'y a rien que les lois ne règlent.

Ainsi chez les Anciens, l'individu, souverain presque habituellement dans les affaires publiques, est esclave dans tous les rapports privés. Comme citoyen, il décide de la paix et de la guerre ; comme particulier, il est circonscrit, observé, réprimé dans tous ses mouvements ; comme portion du corps collectif, il interroge, destitue, condamne, dépouille, exile, frappe de mort ses magistrats ou ses supérieurs ; comme soumis au corps collectif, il peut à son tour être privé de son état, dépouillé de ses dignités, banni, mis à mort, par la volonté discrétionnaire de l'ensemble dont il fait partie. Chez les Modernes, au contraire, l'individu, indépendant dans sa vie privée, n'est, même dans les États les plus libres, souverain qu'en apparence. Sa souveraineté est restreinte, presque toujours suspendue ; et si, à des époques fixes, mais rares, durant lesquelles il est encore entouré de précautions et d'entraves, il exerce cette souveraineté, ce n'est jamais que pour l'abdiquer.

Je dois ici, Messieurs, m'arrêter un instant pour prévenir une objection que l'on pourrait me faire. Il y a dans l'Antiquité une république où l'asservissement de l'existence individuelle au corps collectif n'est pas aussi complet que je viens de le décrire. Cette république est la plus célèbre de toutes ; vous devinez que je veux parler d'Athènes. J'y reviendrai plus tard, et en convenant de la vérité du fait, je vous en exposerai la cause. Nous verrons pourquoi de tous les États anciens, Athènes est celui qui a ressemblé le plus aux Modernes. Partout ailleurs la juridiction sociale était illimitée. Les Anciens, comme le dit Condorcet, n'avaient aucune notion des droits individuels[1]. Les hommes n'étaient, pour ainsi dire, que des machines dont la loi réglait les ressorts et dirigeait les rouages. Le même assujettissement caractérisait les beaux siècles de la république romaine ; l'individu s'était en quelque sorte perdu dans la nation, le citoyen dans la cité.

Nous allons actuellement remonter à la source de cette différence essentielle entre les Anciens et nous.

Toutes les républiques anciennes étaient renfermées dans des limites étroites. La plus peuplée, la plus puissante, la plus considérable d'entre elles n'était pas égale en étendue au plus petit des États modernes. Par une suite inévitable de leur peu d'étendue, l'esprit de ces

---

1. Dans son *Esquisse d'un tableau historique des progrès de l'esprit humain* (1795). (N.d.E.)

républiques était belliqueux, chaque peuple froissait continuellement ses voisins ou était froissé par eux. Poussés ainsi par la nécessité, les uns contre les autres, ils se combattaient ou se menaçaient sans cesse. Ceux qui ne voulaient pas être conquérants ne pouvaient déposer les armes sous peine d'être conquis. Tous achetaient leur sûreté, leur indépendance, leur existence entière, au prix de la guerre. Elle était l'intérêt constant, l'occupation presque habituelle des États libres de l'Antiquité. Enfin, et par un résultat également nécessaire de cette manière d'être, tous ces États avaient des esclaves. Les professions mécaniques, et même, chez quelques nations, les professions industrielles, étaient confiées à des mains chargées de fers.

Le monde moderne nous offre un spectacle complètement opposé. Les moindres États de nos jours sont incomparablement plus vastes que Sparte ou que Rome durant cinq siècles. La division même de l'Europe en plusieurs États est, grâce aux progrès des lumières, plutôt apparente que réelle. Tandis que chaque peuple, autrefois, formait une famille isolée, ennemie née des autres familles, une masse d'hommes existe maintenant sous différents noms, et sous divers modes d'organisation sociale, mais homogène de sa nature. Elle est assez forte pour n'avoir rien à craindre des hordes barbares. Elle est assez éclairée pour que la guerre lui soit à charge. Sa tendance uniforme est vers la paix.

Cette différence en amène une autre. La guerre est antérieure au commerce ; car la guerre et le commerce ne sont que deux moyens différents d'atteindre le même but : celui de posséder ce que l'on désire. Le commerce n'est qu'un hommage rendu à la force du possesseur par l'aspirant à la possession. C'est une tentative pour obtenir de gré à gré ce qu'on n'espère plus conquérir par la violence. Un homme qui serait toujours le plus fort n'aurait jamais l'idée du commerce. C'est l'expérience qui, en lui prouvant que la guerre, c'est-à-dire l'emploi de sa force contre la force d'autrui, l'expose à diverses résistances et à divers échecs, le porte à recourir au commerce, c'est-à-dire à un moyen plus doux et plus sûr d'engager l'intérêt d'un autre à consentir à ce qui convient à son intérêt. La guerre est l'impulsion, le commerce est le calcul. Mais par là même il doit venir une époque où le commerce remplace la guerre. Nous sommes arrivés à cette époque.

Je ne veux point dire qu'il n'y ait pas eu chez les Anciens des peuples commerçants. Mais ces peuples faisaient en quelque sorte exception à la règle générale. Les bornes d'une lecture ne me permettent pas de vous indiquer tous les obstacles qui s'opposaient alors aux progrès du commerce ; vous les connaissez d'ailleurs aussi bien que moi ; je n'en rapporterai qu'un seul. L'ignorance de la boussole forçait les marins de l'Antiquité à ne perdre les côtes de vue que le moins qu'il leur était possible. Traverser les Colonnes d'Hercule, c'est-à-dire passer le détroit de Gibraltar, était considéré comme l'entreprise la plus hardie. Les Phéniciens et les Carthaginois, les plus habiles des navigateurs, ne l'osèrent que fort tard, et leur exemple resta longtemps sans être imité. À Athènes, dont nous parlerons bientôt, l'intérêt maritime était d'environ soixante pour cent, pendant que l'intérêt ordinaire n'était que de douze, tant l'idée d'une navigation lointaine impliquait celle du danger.

De plus, si je pouvais me livrer à une digression qui malheureusement serait trop longue, je vous montrerais, Messieurs, par le détail des mœurs, des habitudes, du mode de trafiquer des peuples commerçants de l'Antiquité avec les autres peuples, que leur commerce même était, pour ainsi dire, imprégné de l'esprit de l'époque, de l'atmosphère de guerre et d'hostilité qui les entourait. Le commerce alors était un accident heureux, c'est aujourd'hui l'état ordinaire, le but unique, la tendance universelle, la vie véritable des nations. Elles veulent le repos, avec le repos ; l'aisance et comme source de l'aisance, l'industrie. La guerre est chaque jour un moyen plus inefficace de remplir leurs vœux. Ses chances n'offrent plus, ni aux individus, ni aux nations, des bénéfices qui égalent les résultats du travail paisible et des échanges réguliers. Chez les Anciens, une guerre heureuse ajoutait en esclaves, en tributs, en terres partagées, à la richesse publique et particulière. Chez les Modernes, une guerre heureuse coûte infailliblement plus qu'elle ne vaut[1].

Enfin, grâce au commerce, à la religion, aux progrès intellectuels et moraux de l'espèce humaine, il n'y a plus d'esclaves chez les nations européennes. Des hommes libres doivent exercer toutes les professions, pourvoir à tous les besoins de la société.

On pressent aisément, Messieurs, le résultat nécessaire de ces différences. Premièrement, l'étendue d'un pays diminue d'autant l'importance politique qui échoit en partage à chaque individu. Le républicain le plus obscur de Rome ou de Sparte était une puissance. Il n'en est pas de même du simple citoyen de la Grande-Bretagne ou des États-Unis. Son influence personnelle est un élément imperceptible de la volonté sociale qui imprime au gouvernement sa direction.

En second lieu, l'abolition de l'esclavage a enlevé à la population libre tout le loisir qui résultait pour elle de ce que des esclaves étaient chargés de la plupart des travaux. Sans la population esclave d'Athènes, vingt mille Athéniens n'auraient pas pu délibérer chaque jour sur la place publique.

---

1. Tout ceci est son extrait des premiers chapitres de l'*Esprit de conquête* [*et de l'usurpation dans leurs rapports avec la civilisation européenne* (1814)]. (N.d.A.)

Troisièmement, le commerce ne laisse pas, comme la guerre, dans la vie de l'homme, des intervalles d'inactivité. L'exercice perpétuel des droits politiques, la discussion journalière des affaires d'État, les discussions, les conciliabules, tout le cortège et tout le mouvement des factions, agitations nécessaires, remplissage obligé, si j'ose employer ce terme, dans la vie des peuples libres de l'Antiquité, qui auraient langui, sans cette ressource, sous le poids d'une inaction douloureuse, n'offriraient que trouble et que fatigue aux nations modernes, où chaque individu occupé de ses spéculations, de ses entreprises, des jouissances qu'il obtient ou qu'il espère, ne veut en être détourné que momentanément et le moins qu'il est possible.

Enfin, le commerce inspire aux hommes un vif amour pour l'indépendance individuelle. Le commerce subvient à leurs besoins, satisfait à leurs désirs, sans l'intervention de l'autorité. Cette intervention est presque toujours, et je ne sais pourquoi je dis presque, cette intervention est toujours un dérangement et une gêne. Toutes les fois que le pouvoir collectif veut se mêler des spéculations particulières, il vexe les spéculateurs. Toutes les fois que les gouvernements prétendent faire nos affaires, ils les font plus mal et plus dispendieusement que nous.

Je vous ai dit, Messieurs, que je vous parlerais d'Athènes, dont on pourrait opposer l'exemple à quelques-unes de mes assertions, et dont l'exemple, au contraire, va les confirmer toutes.

Athènes, comme je l'ai déjà reconnu, était de toutes les républiques grecques la plus commerçante ; aussi accordait-elle à ses citoyens infiniment plus de liberté individuelle que Rome et Sparte. Si je pouvais entrer dans des détails historiques, je vous ferais voir que le commerce avait fait disparaître de chez les Athéniens plusieurs des différences qui distinguent les peuples anciens des peuples modernes. L'esprit des commerçants d'Athènes était pareil à celui des commerçants de nos jours. Xénophon nous apprend que, durant la guerre du Péloponnèse, ils sortaient leurs capitaux du continent de l'Attique et les envoyaient dans les îles de l'Archipel. Le commerce avait créé chez eux la circulation. Nous remarquons dans Isocrate des traces de l'usage des lettres de change. Aussi, observez combien leurs mœurs ressemblent aux nôtres. Dans leurs relations avec les femmes, vous verrez, (je cite encore Xénophon), les époux satisfaits quand la paix et une amitié décente règnent dans l'intérieur du ménage, tenir compte à l'épouse trop fragile de la tyrannie de la nature, fermer les yeux sur l'irrésistible pouvoir des passions, pardonner la première faiblesse et oublier la seconde. Dans leurs rapports avec les étrangers, on les verra prodiguer les droits de cité à quiconque, se transportant chez eux avec sa famille, établit un métier ou une fabrique ; enfin on sera frappé de leur amour excessif pour l'indépendance individuelle. À Lacédémone, dit un philosophe, les citoyens accourent lorsqu'un magistrat les appelle ; mais un Athénien serait au désespoir qu'on le crût dépendant d'un magistrat.

Cependant, comme plusieurs des autres circonstances qui décidaient du caractère des nations anciennes existaient aussi à Athènes ; comme il y avait une population esclave, et que le territoire était fort resserré, nous y trouvons des vestiges de la liberté propre aux Anciens. Le peuple fait les lois, examine la conduite des magistrats, somme Périclès de rendre ses comptes, condamne à mort tous les généraux qui avaient commandé au combat des Arginuses[1]. En même temps l'ostracisme, arbitraire légal et vanté par tous les législateurs de l'époque, l'ostracisme, qui nous paraît et doit nous paraître une révoltante iniquité,

---

1. En 406 avant J.-C., au large des îles des Arginuses, Athènes remporte une bataille navale importante dans la guerre du Péloponnèse qui l'oppose à Sparte. Cependant, les huit généraux qui avaient conduit la flotte athénienne à la victoire sont condamnés à mort : le peuple leur reproche de n'avoir pas recueilli les naufragés ni ramené les corps de ceux qui ont péri dans la tempête. Seul Socrate (alors sénateur) s'opposa à cette condamnation qui fut surtout due à l'éloquence des rhéteurs et des démagogues. Le peuple d'Athènes regretta d'ailleurs rapidement son jugement et se retourna bientôt contre les rhéteurs en question. (N.d.E.)

prouve que l'individu était encore bien plus asservi à la suprématie du corps social à Athènes, qu'il ne l'est de nos jours dans aucun État libre de l'Europe.

Il résulte de ce que je viens d'exposer, que nous ne pouvons plus jouir de la liberté des Anciens, qui se composait de la participation active et constante au pouvoir collectif. Notre liberté, à nous, doit se composer de la jouissance paisible de l'indépendance privée. La part que, dans l'Antiquité, chacun prenait à la souveraineté nationale n'était point, comme de nos jours, une supposition abstraite. La volonté de chacun avait une influence réelle : l'exercice de cette volonté était un plaisir vif et répété. En conséquence, les Anciens étaient disposés à faire beaucoup de sacrifices pour la conservation de leurs droits politiques et de leur part dans l'administration de l'État. Chacun, sentant avec orgueil tout ce que valait son suffrage, trouvait dans cette conscience de son importance personnelle un ample dédommagement.

Ce dédommagement n'existe plus aujourd'hui pour nous. Perdu dans la multitude, l'individu n'aperçoit presque jamais l'influence qu'il exerce. Jamais sa volonté ne s'empreint sur l'ensemble ; rien ne constate à ses propres yeux sa coopération. L'exercice des droits politiques ne nous offre donc plus qu'une partie des jouissances que les Anciens y trouvaient, et en même temps les progrès de la civilisation, la tendance commerciale de l'époque, la communication des peuples entre eux, ont multiplié et varié à l'infini les moyens de bonheur particulier.

Il s'ensuit que nous devons être bien plus attachés que les Anciens à notre indépendance individuelle. Car les Anciens, lorsqu'ils sacrifiaient cette indépendance aux droits politiques, sacrifiaient moins pour obtenir plus ; tandis qu'en faisant le même sacrifice, nous donnerions plus pour obtenir moins.

Le but des Anciens était le partage du pouvoir social entre tous les citoyens d'une même patrie. C'était là ce qu'ils nommaient liberté. Le but des Modernes est la sécurité dans les jouissances privées ; et ils nomment liberté les garanties accordées par les institutions à ces jouissances.

J'ai dit en commençant que, faute d'avoir aperçu ces différences, des hommes bien intentionnés d'ailleurs, avaient causé des maux infinis durant notre longue et orageuse révolution. À Dieu ne plaise que je leur adresse des reproches trop sévères : leur erreur même était excusable. On ne saurait lire les belles pages de l'Antiquité, l'on ne se retrace point les actions de ces grands hommes, sans ressentir je ne sais quelle émotion d'un genre particulier, que ne fait éprouver rien de ce qui est moderne. Les vieux éléments d'une nature antérieure, pour ainsi dire à la nôtre, semblent se réveiller en nous à ces souvenirs. Il est difficile de ne pas regretter ces temps où les facultés de l'homme se développaient dans une direction tracée d'avance, mais dans une carrière si vaste, tellement fortes de leurs propres forces, et avec un tel sentiment d'énergie et de dignité ; et lorsqu'on se livre à ces regrets, il est impossible de ne pas vouloir imiter ce qu'on regrette.

Cette impression était profonde, surtout lorsque nous vivions sous des gouvernements abusifs, qui, sans être forts, étaient vexatoires, absurdes en principe, misérables en action ; gouvernements qui avaient pour ressort l'arbitraire, pour but le rapetissement de l'espèce humaine, et que certains hommes osent nous vanter encore aujourd'hui, comme si nous pouvions oublier jamais que nous avons été témoins et victimes de leur obstination, de leur impuissance et de leur renversement. Le but de nos réformateurs fut noble et généreux. Qui d'entre nous n'a pas senti son cœur battre d'espérance à l'entrée de la route qu'ils semblaient ouvrir ? Et malheur encore à présent à qui n'éprouve pas le besoin de déclarer que reconnaître quelques erreurs commises par nos premiers guides, ce n'est pas flétrir leur mémoire ni désavouer des opinions que les amis de l'humanité ont professées d'âge en âge !

Mais ces hommes avaient puisé plusieurs de leurs théories dans les ouvrages de deux philosophes qui ne s'étaient pas doutés eux-mêmes des modifications apportées par deux mille ans aux dispositions du genre humain. J'examinerai peut-être une fois le système du plus illustre de ces philosophes, de Jean-Jacques Rousseau, et je montrerai qu'en transportant dans nos temps modernes une étendue de pouvoir social, de souveraineté collective qui appartenait à d'autres siècles, ce génie sublime qu'animait l'amour le plus pur de la liberté a fourni néanmoins de funestes prétextes à plus d'un genre de tyrannie. Sans doute, en relevant ce que je considère comme une méprise importante à dévoiler, je serai circonspect dans ma réfutation et respectueux dans mon blâme. J'éviterai certes de me joindre aux détracteurs d'un grand homme. Quand le hasard fait qu'en apparence je me rencontre avec eux sur un seul point, je suis en défiance de moi-même ; et pour me consoler de paraître un instant de leur avis, sur une question unique et partielle, j'ai besoin de désavouer et de flétrir autant qu'il est en moi ces prétendus auxiliaires.

Cependant, l'intérêt de la vérité doit l'emporter sur des considérations que rendent si puissantes l'éclat d'un talent prodigieux et l'autorité d'une immense renommée. Ce n'est d'ailleurs point à Rousseau, comme on le verra, que l'on doit principalement attribuer l'erreur que je vais combattre : elle appartient bien plus à l'un de ses successeurs, moins éloquent, mais non moins austère et mille fois plus exagéré. Ce dernier, l'abbé de Mably[1], peut être regardé comme le représentant du système qui, conformément aux maximes de la liberté antique, veut que les citoyens soient complètement assujettis pour que la nation soit souveraine, et que l'individu soit esclave pour que le peuple soit libre.

L'abbé de Mably, comme Rousseau et comme beaucoup d'autres, avait, d'après les Anciens, pris l'autorité du corps social pour la liberté, et tous les moyens lui paraissaient bons pour étendre l'action de cette autorité sur cette partie récalcitrante de l'existence humaine, dont il déplorait l'indépendance. Le regret qu'il exprime partout dans ses ouvrages, c'est que la loi ne puisse atteindre que les actions. Il aurait voulu qu'elle atteignît les pensées, les impressions les plus passagères, qu'elle poursuivît l'homme sans relâche et sans lui laisser un asile où il pût échapper à son pouvoir. À peine apercevait-il, n'importe chez quel peuple, une mesure vexatoire, qu'il pensait avoir fait une découverte et qu'il la proposait pour modèle ;

---

1. Gabriel Bonnot de Mably (1709-1785), frère de Condillac, est notamment l'auteur des *Doutes proposés aux philosophes économistes sur l'ordre naturel et essentiel des sociétés politiques*, paru en 1768. À la suite de Jean-Jacques Rousseau (*Discours sur l'origine et les fondements de l'inégalité parmi les hommes*, II), il critique la propriété privée (cherchant à en limiter les effets négatifs, il propose par exemple de supprimer la transmission héréditaire des patrimoines) et l'idée que celle-ci relèverait d'un ordre naturel. (N.d.E.)

il détestait la liberté individuelle comme on déteste un ennemi personnel ; et dès qu'il rencontrait dans l'histoire une nation qui en était bien complètement privée, n'eût-elle point de liberté politique, il ne pouvait s'empêcher de l'admirer. Il s'extasiait sur les Égyptiens, parce que, disait-il, tout chez eux était réglé par la loi, jusqu'aux délassements, jusqu'aux besoins ; tout pliait sous l'empire du législateur ; tous les moments de la journée étaient remplis par quelque devoir ; l'amour même était sujet à cette intervention respectée, et c'était la loi qui tour à tour ouvrait et fermait la couche nuptiale.

Sparte, qui réunissait des formes républicaines au même asservissement des individus, excitait dans l'esprit de ce philosophe un enthousiasme plus vif encore. Ce vaste couvent lui paraissait l'idéal d'une parfaite république. Il avait pour Athènes un profond mépris, et il aurait dit volontiers de cette nation, la première de la Grèce, ce qu'un académicien grand seigneur disait de l'Académie française : « Quel épouvantable despotisme ! Tout le monde y fait ce qu'il veut. » Je dois ajouter que ce grand seigneur parlait de l'Académie telle qu'elle était il y a trente ans.

Montesquieu, doué d'un esprit plus observateur parce qu'il avait une tête moins ardente, n'est pas tombé tout à fait dans les mêmes erreurs. Il a été frappé des différences que j'ai rapportées : mais il n'en a pas démêlé la cause véritable. «Les politiques grecs, dit-il, qui vivaient sous le gouvernement populaire ne reconnaissaient d'autre force que celle de la vertu. Ceux d'aujourd'hui ne nous parlent que de manufactures, de commerce, de finances, de richesses et de luxe même.» Il attribue cette différence à la république et à la monarchie; il faut l'attribuer à l'esprit opposé des temps anciens et des temps modernes. Citoyens des républiques, sujets des monarchies, tous veulent des jouissances, et nul ne peut, dans l'état actuel des sociétés, ne pas en vouloir. Le peuple le plus attaché de nos jours à sa liberté, avant l'affranchissement de la France, était aussi le peuple le plus attaché à toutes les jouissances de la vie; et il tenait à sa liberté surtout parce qu'il y voyait la garantie des jouissances qu'il chérissait. Autrefois, là où il y avait liberté, l'on pouvait supporter les privations; maintenant partout où il y a privations, il faut l'esclavage pour qu'on s'y résigne. Il serait plus possible aujourd'hui de faire d'un peuple d'esclaves un peuple de Spartiates, que de former des Spartiates pour la liberté.

Les hommes qui se trouvèrent portés par le flot des événements à la tête de notre révolution étaient, par une suite nécessaire de l'éducation qu'ils avaient reçue, imbus des opinions antiques et devenues fausses, qu'avaient mises en honneur les philosophes dont j'ai parlé. La métaphysique de Rousseau, au milieu de laquelle paraissaient tout à coup comme des éclairs des vérités sublimes et des passages d'une éloquence entraînante, l'austérité de Mably, son intolérance, sa haine contre toutes les passions humaines, son avidité de les asservir toutes, ses principes exagérés sur la compétence de la loi, la différence de ce qu'il recommandait et de ce qui avait existé, ses déclamations contre les richesses et même contre la propriété, toutes ces choses devaient charmer des hommes échauffés par une victoire récente, et qui, conquérants de la puissance légale, étaient bien aises d'étendre cette puissance sur tous les objets. C'était pour eux une autorité précieuse que celle de deux écrivains qui, désintéressés dans la question et prononçant anathème contre le despotisme des hommes, avaient rédigé en axiomes le texte de la loi. Ils voulurent donc exercer la force publique, comme ils avaient appris de leurs guides qu'elle avait été jadis exercée dans les États libres. Ils crurent que tout devait encore céder devant la volonté collective, et que toutes les restrictions aux droits individuels seraient amplement compensées par la participation au pouvoir social.

Vous savez, Messieurs, ce qui en est résulté. Des institutions libres, appuyées sur la connaissance de l'esprit du siècle, auraient pu subsister. L'édifice renouvelé des Anciens s'est écroulé, malgré beaucoup d'efforts et beaucoup d'actes héroïques qui ont droit à l'admiration. C'est que le pouvoir social blessait en tout sens l'indépendance individuelle sans en détruire le besoin. La nation ne trouvait point qu'une part idéale à une souveraineté abstraite valût les sacrifices qu'on lui commandait. On lui répétait vainement avec Rousseau : les lois de la liberté sont mille fois plus austères que n'est dur le joug des tyrans. Elle ne voulait pas de ces lois austères, et, dans sa lassitude, elle croyait quelquefois que le joug des tyrans serait préférable. L'expérience est venue et l'a détrompée. Elle a vu que l'arbitraire des hommes était pire encore que les plus mauvaises lois. Mais les lois aussi doivent avoir leurs limites.

Si je suis parvenu, Messieurs, à vous faire partager l'opinion que, dans ma conviction, ces faits doivent produire, vous reconnaîtrez avec moi la vérité des principes suivants :

L'indépendance individuelle est le premier besoin des Modernes. En conséquence, il ne faut jamais leur en demander le sacrifice pour établir la liberté politique.

Il s'ensuit qu'aucune des institutions nombreuses et trop vantées qui, dans les républiques anciennes, gênaient la liberté individuelle, n'est point admissible dans les temps modernes.

Cette vérité, Messieurs, semble d'abord superflue à établir. Plusieurs gouvernements de nos jours ne paraissent guères enclins à imiter les républiques de l'Antiquité. Cependant, quelque peu de goût qu'ils aient pour les institutions républicaines, il y a de certains usages républicains pour lesquels ils éprouvent je ne sais quelle affection. Il est fâcheux que ce soit précisément celles qui permettent de bannir, d'exiler, de dépouiller. Je me souviens qu'en 1802, on glissa dans une loi sur les tribunaux spéciaux, un article qui introduisait en France l'ostracisme grec[1] ; et Dieu sait combien d'éloquents orateurs, pour faire admettre cet article, qui cependant fut retiré, nous parlèrent de la liberté d'Athènes, et de tous les sacrifices que les individus devaient faire pour conserver cette liberté ! De même, à une époque bien plus récente, lorsque des autorités craintives essayaient d'une main timide de diriger les élections à leur gré, un journal qui n'est pourtant point entaché de républicanisme proposa de faire revivre la censure romaine pour écarter les candidats dangereux.

---

1. Au Vᵉ siècle, à Athènes et dans quelques cités grecques, on pratiquait le vote d'ostracisme, procédure qui pouvait conduire au bannissement d'un citoyen pendant dix ans quand cette mesure était jugée nécessaire au bien public : les citoyens assemblés étaient appelés à inscrire sur un fragment de coquillage le nom de la personne qu'ils souhaitaient écarter de la vie politique ; si un nom obtenait la majorité absolue, la personne était bannie. Ce fut le cas d'Aristide le Juste. (N.d.E.)

Je crois donc ne pas m'engager dans une digression inutile, si, pour appuyer mon assertion, je dis quelques mots de ces deux institutions si vantées.

L'ostracisme d'Athènes reposait sur l'hypothèse que la société a toute autorité sur ses membres. Dans cette hypothèse, il pouvait se justifier, et dans un petit État, où l'influence d'un individu, fort de son crédit, de sa clientèle, de sa gloire, balançait souvent la puissance de la masse, l'ostracisme pouvait avoir une apparence d'utilité. Mais, parmi nous, les individus ont des droits que la société doit respecter, et l'influence individuelle est, comme je l'ai déjà observé, tellement perdue dans une multitude d'influences, égales ou supérieures, que toute vexation, motivée sur la nécessité de diminuer cette influence, est inutile et par conséquent injuste. Nul n'a le droit d'exiler un citoyen, s'il n'est pas condamné légalement par un tribunal régulier, d'après une loi formelle qui attache la peine de l'exil à l'action dont il est coupable. Nul n'a le droit d'arracher le citoyen à sa patrie, le propriétaire à ses terres, le négociant à son commerce, l'époux à son épouse, le père à ses enfants, l'écrivain à ses méditations studieuses, le vieillard à ses habitudes. Tout exil politique est un attentat politique. Tout exil prononcé par une assemblée pour de prétendus motifs de salut public est un crime de cette assemblée contre le salut public, qui n'est jamais que dans le

respect des lois, dans l'observance des formes, et dans
le maintien des garanties.

La censure romaine[1] supposait, comme l'ostracisme,
un pouvoir discrétionnaire. Dans une république dont
tous les citoyens, maintenus par la pauvreté dans une
simplicité extrême de mœurs, habitaient la même
ville, n'exerçaient aucune profession qui détournât
leur attention des affaires de l'État, et se trouvaient
ainsi constamment spectateurs et juges de l'usage du
pouvoir public, la censure pouvait d'une part avoir
plus d'influence, et de l'autre, l'arbitraire des censeurs
était contenu par une espèce de surveillance morale
exercée contre eux. Mais aussitôt que l'étendue de
la république, la complication des relations sociales,
et les raffinements de la civilisation, eurent enlevé à

---

1. Au milieu du Ve siècle avant J.-C. est créée à Rome la fonction
de censeur, occupée initialement par un patricien. Ce sont deux
magistrats qui exercent un pouvoir absolu – seuls leurs successeurs
peuvent annuler leurs décisions ; au terme de leur exercice, ils
abdiquent et ne peuvent être à nouveau nommés à cette fonction.
Les censeurs ont un rôle civil : recenser les citoyens romains par
niveau de fortune (*census*), tenir les registres (notamment l'*album*
sénatorial) : c'est à ce titre qu'ils surveillent les mœurs, puisqu'ils
ont le pouvoir d'en rayer les sénateurs indignes. Ils émettent aussi
des appréciations (*nota censura*) stigmatisantes… Ils ont aussi un
rôle économique d'administration des bien publics et de collecte
des recettes fiscales. Au IVe siècle, les plébéiens peuvent accéder à
cette fonction.

Avec l'avènement d'Auguste, et à la suite de son règne, c'est
l'empereur qui exerça lui-même le pouvoir de censure.

cette institution ce qui lui servait à la fois de base et de limite, la censure dégénéra, même à Rome. Ce n'était donc pas la censure qui avait créé les bonnes mœurs ; c'était la simplicité des mœurs qui constituait la puissance et l'efficacité de la censure.

En France, une institution aussi arbitraire que la censure serait à la fois inefficace et intolérable. Dans l'état présent de la société, les mœurs se composent de nuances fines, ondoyantes, insaisissables, qui se dénatureraient de mille manières, si l'on tentait de leur donner plus de précision. L'opinion seule peut les atteindre ; elle seule peut les juger, parce qu'elle est de même nature. Elle se soulèverait contre toute autorité positive qui voudrait lui donner plus de précision. Si le gouvernement d'un peuple voulait, comme les censeurs de Rome, flétrir un citoyen par une décision discrétionnaire, la nation entière réclamerait contre cet arrêt en ne ratifiant pas les décisions de l'autorité.

Ce que je viens de dire de la transplantation de la censure dans les temps modernes s'applique à bien d'autres parties de l'organisation sociale, sur lesquelles on nous cite l'Antiquité plus fréquemment encore, et avec bien plus d'emphase. Telle est l'éducation, par exemple. Que ne nous dit-on pas sur la nécessité de permettre que le gouvernement s'empare des générations naissantes pour les façonner à son gré, et de quelles citations érudites n'appuie-t-on pas cette théorie ! Les Perses, les Égyptiens, et la Gaule, et la Grèce, et l'Italie viennent tour à tour figurer à nos regards ! Eh ! Messieurs, nous ne sommes ni des Perses, soumis à un despote, ni des Égyptiens, subjugués par des prêtres, ni des Gaulois, pouvant être sacrifiés par leurs druides, ni enfin des Grecs et des Romains que leur part à l'autorité sociale consolait de l'asservissement privé. Nous sommes des Modernes, qui voulons jouir, chacun, de nos droits ; développer, chacun, nos facultés comme bon nous semble, sans nuire à autrui ; veiller sur le développement de ces facultés dans les enfants que la nature confie à notre affection, d'autant plus éclairée qu'elle est plus vive, et n'ayant besoin de l'autorité que pour tenir d'elle les moyens généraux d'instruction qu'elle peut rassembler, comme les voyageurs acceptent d'elle les grands chemins sans être dirigés par elle dans la route qu'ils veulent suivre. La religion aussi est exposée à ces souvenirs des autres siècles. De braves défenseurs de l'unité de doctrine nous citent les lois des Anciens contre les dieux étrangers, et appuient les droits de l'Église catholique de l'exemple des Athéniens qui firent périr Socrate pour avoir ébranlé le polythéisme, et de celui d'Auguste qui voulait qu'on restât fidèle au culte de ses pères, ce qui fit que, peu de temps après, on livra aux bêtes les premiers chrétiens.

Défions-nous, Messieurs, de cette admiration pour certaines réminiscences antiques. Puisque nous vivons dans les temps modernes, je veux la liberté convenable aux temps modernes ; et puisque nous vivons sous des monarchies, je supplie humblement ces monarchies de ne pas emprunter aux républiques anciennes des moyens de nous opprimer.

La liberté individuelle, je le répète, voilà la véritable liberté moderne. La liberté politique en est la garantie ; la liberté politique est par conséquent indispensable. Mais demander aux peuples de nos jours de sacrifier, comme ceux d'autrefois, la totalité de leur liberté individuelle à la liberté politique, c'est le plus sûr moyen de les détacher de l'une ; et quand on y serait parvenu, on ne tarderait pas à leur ravir l'autre.

Vous voyez, Messieurs, que mes observations ne tendent nullement à diminuer le prix de la liberté politique. Je ne tire point des faits que j'ai remis sous vos yeux les conséquences que quelques hommes en tirent. De ce que les Anciens ont été libres, et de ce que nous ne pouvons plus être libres comme les Anciens, ils en concluent que nous sommes destinés à être esclaves. Ils voudraient constituer le nouvel état social avec un petit nombre d'éléments qu'ils disent seuls appropriés à la situation du monde actuel. Ces éléments sont des préjugés pour effrayer les hommes, de l'égoïsme pour les corrompre, de la frivolité pour les étourdir, des plaisirs grossiers pour les dégrader, du despotisme pour les conduire ; et, il le faut bien, des connaissances positives et des sciences exactes pour servir plus adroitement le despotisme. Il serait bizarre que tel fût le résultat de quarante siècles durant lesquels l'espèce humaine a conquis plus de moyens moraux et physiques ; je ne le puis penser.

Je tire des différences qui nous distinguent de l'Antiquité des conséquences tout opposées. Ce n'est point la garantie qu'il faut affaiblir, c'est la jouissance qu'il faut étendre. Ce n'est point à la liberté politique que je veux renoncer ; c'est la liberté civile que je réclame, avec d'autres formes de liberté politique. Les gouvernements n'ont pas plus qu'autrefois le droit de s'arroger un pouvoir illégitime. Mais les gouvernements qui partent d'une source légitime ont moins qu'autrefois le droit d'exercer sur les individus une suprématie arbitraire. Nous possédons encore aujourd'hui les droits que nous eûmes de tout temps, ces droits éternels à consentir les lois, à délibérer sur nos intérêts, à être partie intégrante du corps social dont nous sommes membres. Mais les gouvernements ont de nouveaux devoirs. Les progrès de la civilisation, les changements opérés par les siècles, commandent à l'autorité plus de respect pour les habitudes, pour les affections, pour l'indépendance des individus. Elle doit porter sur tous ces objets une main plus prudente et plus légère.

Cette réserve de l'autorité, qui est dans ses devoirs stricts, est également dans ses intérêts bien entendus; car si la liberté qui convient aux Modernes est différente de celle qui convenait aux Anciens, le despotisme qui était possible chez les Anciens n'est plus possible chez les Modernes. De ce que nous sommes souvent plus distraits de la liberté politique qu'ils ne pouvaient l'être, et dans notre état ordinaire, moins passionnés pour elle, il peut s'ensuivre que nous négligions quelquefois trop, et toujours à tort, les garanties qu'elle nous assure; mais en même temps, comme nous tenons beaucoup plus à la liberté individuelle que les Anciens, nous la défendrons, si elle est attaquée, avec beaucoup plus d'adresse et de persistance; et nous avons pour la défendre des moyens que les Anciens n'avaient pas.

Le commerce rend l'action de l'arbitraire sur notre existence plus vexatoire qu'autrefois, parce que nos spéculations étant plus variées, l'arbitraire doit se multiplier pour les atteindre; mais le commerce rend aussi l'action de l'arbitraire plus facile à éluder, parce qu'il change la nature de la propriété, qui devient, par ce changement, presque insaisissable.

Le commerce donne à la propriété une qualité nouvelle : la circulation; sans circulation, la propriété n'est qu'un usufruit; l'autorité peut toujours influer sur l'usufruit, car elle peut enlever la jouissance; mais la circulation met un obstacle invisible et invincible à cette action du pouvoir social.

Les effets du commerce s'étendent encore plus loin ; non seulement il affranchit les individus, mais en créant le crédit, il rend l'autorité dépendante.

L'argent, dit un auteur français, est l'arme la plus dangereuse du despotisme, mais il est en même temps son frein le plus puissant ; le crédit est soumis à l'opinion ; la force est inutile ; l'argent se cache ou s'enfuit ; toutes les opérations de l'État sont suspendues. Le crédit n'avait pas la même influence chez les Anciens ; leurs gouvernements étaient plus forts que les particuliers ; les particuliers sont plus forts que les pouvoirs politiques de nos jours ; la richesse est une puissance plus disponible dans tous les instants, plus applicable à tous les intérêts, et par conséquent bien plus réelle et mieux obéie ; le pouvoir menace, la richesse récompense ; on échappe au pouvoir en le trompant ; pour obtenir les faveurs de la richesse, il faut la servir ; celle-ci doit l'emporter.

Par une suite des mêmes causes, l'existence individuelle est moins englobée dans l'existence politique. Les individus transplantent au loin leurs trésors ; ils portent avec eux toutes les jouissances de la vie privée ; le commerce a rapproché les nations, et leur a donné des mœurs et des habitudes à peu près pareilles ; les chefs peuvent être ennemis ; les peuples sont compatriotes.

Que le pouvoir s'y résigne donc; il nous faut de la liberté, et nous l'aurons; mais comme la liberté qu'il nous faut est différente de celle des Anciens, il faut à cette liberté une autre organisation que celle qui pourrait convenir à la liberté antique. Dans celle-ci, plus l'homme consacrait de temps et de force à l'exercice de ses droits politiques, plus il se croyait libre; dans l'espèce de liberté dont nous sommes susceptibles, plus l'exercice de nos droits politiques nous laissera de temps pour nos intérêts privés, plus la liberté nous sera précieuse.

De là vient, Messieurs, la nécessité du système représentatif. Le système représentatif n'est autre chose qu'une organisation à l'aide de laquelle une nation se décharge sur quelques individus de ce qu'elle ne peut ou ne veut pas faire elle-même. Les individus pauvres font eux-mêmes leurs affaires; les hommes riches prennent des intendants. C'est l'histoire des nations anciennes et des nations modernes. Le système représentatif est une procuration donnée à un certain nombre d'hommes par la masse du peuple, qui veut que ses intérêts soient défendus, et qui néanmoins n'a pas le temps de les défendre toujours lui-même. Mais, à moins d'être insensés, les hommes riches qui ont des intendants examinent, avec attention et sévérité, si ces intendants font leur devoir, s'ils ne sont ni négligents, ni corruptibles, ni incapables ; et pour juger de la gestion de ces mandataires, les commettants qui ont de la prudence se mettent bien au fait des affaires dont ils leur confient l'administration. De même, les peuples qui, dans le but de jouir de la liberté qui leur convient, recourent au système représentatif, doivent exercer une surveillance active et constante sur leurs représentants, et se réserver, à des époques qui ne soient pas séparées par de trop longs intervalles, le droit de les écarter s'ils ont trompé leurs vœux, et de révoquer les pouvoirs dont ils auraient abusé.

Car, de ce que la liberté moderne diffère de la liberté antique, il s'ensuit qu'elle est aussi menacée d'un danger d'espèce différente.

Le danger de la liberté antique était qu'attentifs uniquement à s'assurer le partage du pouvoir social, les hommes ne fissent trop bon marché des droits et des jouissances individuelles.

Le danger de la liberté moderne, c'est qu'absorbés dans la jouissance de notre indépendance privée, et dans la poursuite de nos intérêts particuliers, nous ne renoncions trop facilement à notre droit de partage dans le pouvoir politique.

Les dépositaires de l'autorité ne manquent pas de nous y exhorter. Ils sont si disposés à nous épargner toute espèce de peine, excepté celle d'obéir et de payer ! Ils nous diront : « Quel est au fond le but de vos efforts, le motif de vos travaux, l'objet de toutes vos espérances ? N'est-ce pas le bonheur ? Eh bien, ce bonheur, laissez-nous faire, et nous vous le donnerons. » Non, Messieurs, ne laissons pas faire. Quelque touchant que ce soit un intérêt si tendre, prions l'autorité de rester dans ses limites. Qu'elle se borne à être juste ; nous nous chargerons d'être heureux.

Pourrions-nous l'être par des jouissances, si ces jouissances étaient séparées des garanties ? Où trouverions-nous ces garanties, si nous renoncions à la liberté politique ? Y renoncer, Messieurs, serait une démence semblable à celle d'un homme qui, sous prétexte qu'il n'habite qu'au premier étage, prétendrait bâtir sur le sable un édifice sans fondement.

D'ailleurs, Messieurs, est-il donc si vrai que le bonheur de quelque genre qu'il puisse être soit le but unique de l'espèce humaine ? En ce cas, notre carrière serait bien étroite, et notre destination bien peu relevée. Il n'est pas un de nous qui, s'il voulait descendre, restreindre ses facultés morales, rabaisser ses désirs, abjurer l'activité, la gloire, les émotions généreuses et profondes, ne pût s'abrutir et être heureux. Non, Messieurs, j'en atteste cette partie meilleure de notre nature, cette noble inquiétude qui nous poursuit et qui nous tourmente, cette ardeur d'étendre nos lumières et de développer nos facultés : ce n'est pas au bonheur seul, c'est au perfectionnement que notre destin nous appelle ; et la liberté politique est le plus puissant, le plus énergique moyen de perfectionnement que le ciel nous ait donné.

La liberté politique soumettant à tous les citoyens, sans exception, l'examen et l'étude de leurs intérêts les plus sacrés, agrandit leur esprit, anoblit leurs pensées, établit entre eux tous une sorte d'égalité intellectuelle qui fait la gloire et la puissance d'un peuple.

Aussi, voyez comme une nation grandit à la première institution qui lui rend l'exercice régulier de la liberté politique. Voyez nos concitoyens de toutes les classes, de toutes les professions, sortant de la sphère de leurs travaux habituels, et de leur industrie privée, se trouver soudain au niveau des fonctions importantes que la constitution leur confie, choisir avec discernement, résister avec énergie, déconcerter la ruse, braver la menace, résister noblement à la séduction. Voyez le patriotisme pur, profond et sincère, triomphant dans nos villes et vivifiant jusqu'à nos hameaux, traversant nos ateliers, ranimant nos campagnes, pénétrant du sentiment de nos droits et de la nécessité des garanties l'esprit juste et droit du cultivateur utile et du négociant industrieux, qui, savants dans l'histoire des maux qu'ils ont subis, et non moins éclairés sur les remèdes qu'exigent ces maux, embrassent d'un regard la France entière, et, dispensateurs de la reconnaissance nationale, récompensent par leurs suffrages, après trente années, la fidélité aux principes dans la personne du plus illustre des défenseurs de la liberté[1].

Loin donc, Messieurs, de renoncer à aucune des deux espèces de liberté dont je vous ai parlé, il faut, je l'ai démontré, apprendre à les combiner l'une avec l'autre. Les institutions, comme le dit le célèbre auteur de l'*Histoire des républiques du Moyen Âge*[2], doivent accomplir les destinées de l'espèce humaine ; elles atteignent d'autant mieux leur but qu'elles élèvent le plus grand nombre possible de citoyens à la plus haute dignité morale.

L'œuvre du législateur n'est point complète quand il a seulement rendu le peuple tranquille. Lors même que ce peuple est content, il reste encore beaucoup à faire. Il faut que les institutions achèvent l'éducation morale des citoyens. En respectant leurs droits individuels, en ménageant leur indépendance,

---

1. Il s'agit du marquis de La Fayette (1757-1834), héros de la guerre d'indépendance américaine et de la Révolution française. Élu député de la Sarthe en 1818 – comme Constant, quelques mois plus tard, en 1819 –, il s'oppose farouchement à la Restauration et prône une monarchie constitutionnelle libérale.
2. Jean Charles Léonard Simonde de Sismondi (1773-1842) dont l'ouvrage est publié à Zurich en 1808. Comme Constant, Sismondi adopte les idées libérales en politique, et fréquente les salons de Mme de Staël.

en ne troublant point leurs occupations, elles doivent pourtant consacrer leur influence sur la chose publique, les appeler à concourir, par leurs déterminations et par leurs suffrages, à l'exercice du pouvoir, leur garantir un droit de contrôle et de surveillance par la manifestation de leurs opinions, et les formant de la sorte par la pratique à ces fonctions élevées, leur donner à la fois et le désir et la faculté de s'en acquitter.

Benjamin CONSTANT – 1819

La liberté de l'individu
à l'épreuve de l'État moderne

Que signifie «être libre»? Telle est la question à laquelle Benjamin Constant essaie de répondre dans ces quelques pages. Sans verser dans des considérations morales ou métaphysiques (c'est-à-dire qui chercheraient à définir la nature de la liberté humaine, ou bien son fondement, comme cela avait été fait par d'autres philosophes, d'Aristote à Kant), il se place d'emblée dans le champ de la philosophie politique. Benjamin Constant choisit en effet de comparer le sens moderne de la liberté à son sens antique, et tire toutes les conclusions politiques de cette comparaison originale. Pour lui, il s'agit avant tout de prendre la mesure des régimes de liberté qui ont eu cours dans l'histoire, de ceux qui existent, et de ceux qui sont appelés à advenir, car tous ne permettent pas d'articuler la soif d'indépendance de l'individu et la nécessité qu'il rencontre de prendre part à la vie de l'État.

Il ne faut donc pas voir ce discours seulement comme une réflexion abstraite sur la liberté. Constant fait aussi l'analyse des nouveautés d'une époque agitée et donne des outils précieux pour mieux comprendre les enjeux de certaines luttes politiques, même parmi les plus contemporaines.

Lorsque Benjamin Constant prononce en 1819, à cinquante-deux ans, ce discours sur la liberté, la France est aux prises avec des événements qui détermineront pour longtemps son caractère propre au sein du concert des nations européennes. Ce contexte politique donne une portée particulière à ses propos : il a parfaitement compris le mouvement qui a été imprimé par l'histoire et par la Révolution dans la société française.

Depuis 1815 et la seconde Restauration (retour de Louis XVIII au pouvoir après les Cent-Jours de Napoléon), deux groupes s'opposent radicalement dans l'espace politique français : les libéraux et les ultras. Les libéraux, qui gravitent notamment autour de Mme de Staël et du groupe de Coppet[1], sont favorables à la défense des libertés politiques et individuelles ; les ultras sont partisans d'un retour à l'Ancien Régime.

S'il n'y a pas de référence explicite à ce contexte propre à la Restauration dans le texte, il n'en reste

---

1. Du nom du château de Coppet, en Suisse (canton de Vaud), où vécut Mme de Staël durant son exil, et où se retrouvèrent nombre d'intellectuels partisans du libéralisme politique.

pas moins vrai que Constant défend plusieurs idées du libéralisme politique qui ont été rejetées de fait, comme le montre le cours répressif, plus royaliste que le roi, pris par le Parlement après 1815. Par le biais d'une analyse de l'histoire de Rome et d'Athènes, il montre par exemple l'illégitimité qu'il y aurait, à son époque, à remettre en vigueur la censure et le principe même de l'ostracisme ; il affirme la valeur du système représentatif contre le despotisme ; il défend la nécessité de la surveillance des représentants par le peuple ; il montre l'inadéquation et le risque qu'il peut y avoir à utiliser les recettes du passé pour régler les problèmes politiques contemporains, etc. Il ne saurait y avoir de retour en arrière. Autant de points sur lesquels il est en opposition frontale avec les ultra-royalistes.

Le cœur du texte est bien entendu l'analyse du concept de liberté. Constant montre que le terme recouvre deux réalités, deux conceptions différentes selon l'époque à laquelle il est employé. Autrefois entendue comme participation à la vie de la cité, comme exercice concret de la souveraineté, la liberté est devenue synonyme d'une indépendance certaine de l'individu vis-à-vis de la société. On passe de la sphère publique à la sphère privée. Autrement dit, alors que pour les Anciens la liberté était comprise comme la capacité d'un individu à participer à la vie publique de la collectivité (en prenant part aux votes, aux décisions, à l'établissement des lois, etc.), et l'obligation de se soumettre à elle, pour les Modernes, il s'agit bien plutôt de la possibilité de jouir de droits garantis à l'individu. La modernité peut ainsi être entendue comme la construction progressive, puis la défense, de cette sphère privée. Nous lisons ainsi : « Nous ne pouvons plus jouir de la liberté des Anciens, qui se composait de la participation active et constante au pouvoir collectif. Notre liberté à nous doit se composer de la jouissance paisible de l'indépendance privée. »

Cette mutation radicale n'est pas anodine sur le plan politique. Constant prend acte de la Révolution, de la transformation économique qu'il a pu observer en Angleterre à la fin du XVIIIe siècle. Premièrement, cette évolution est le signe d'une modification majeure des cadres politiques au sein desquels les individus évoluent : les États sont plus vastes et plus peuplés (ce qui a pour conséquence que chaque individu y a moins de poids), ils développent le commerce (ce qui pousse notamment à l'individualisme), et l'esclavage disparaît (laissant moins de place au loisir et à la participation à la vie de la cité). Et deuxièmement, il faut connaître l'envers de chacun des deux sens du mot « liberté », le prix à payer de chacun des régimes qui en découlent. Les Anciens devaient accepter un effacement de l'individu au profit du corps social (la volonté de chacun pouvant être contrainte par l'autorité collective). Pour les Modernes, c'est le phénomène inverse qui se produit : il consiste en un repli sur soi qui s'accompagne d'une perte de la souveraineté, dont l'exercice n'est plus réellement sensible pour chacun. Alors que seul comptait l'exercice d'une liberté politique qui risquait de se faire aux dépens de la liberté individuelle, c'est la liberté individuelle qui, à l'époque moderne, semble mettre en péril la liberté politique.

Bien sûr Constant dresse le tableau comparatif des avantages et des inconvénients en laissant croire que l'on pourrait librement opérer un choix. Car, dans son effort d'analyse de la modernité, il montre que les recettes du passé ne fonctionnent plus, les opinions du passé deviennent fausses, inappropriées. En soi, cela ne présente aucun problème. Au contraire, on pourrait considérer que c'est le signe d'une humanité en bonne santé que de voir les opinions politiques évoluer au fil des siècles.

Le problème vient du fait que ces opinions du passé, devenues fausses, continuent à apparaître dignes de foi à beaucoup. Constant dénonce le mésusage qui a été fait par quelques-uns des plus grands penseurs politiques (Rousseau, Mably, Montesquieu, etc.) de la référence aux régimes de l'Antiquité et à leurs institutions. Plus généralement, selon lui, les dérives graves de la

Révolution française trouvent leur explication dans le fait d'avoir voulu affirmer, comme chez les Anciens, que « tout devait encore céder devant la volonté collective ».

Le propos de Benjamin Constant doit être entendu comme une mise en lumière d'une évolution historique irréversible qui appelle un nouveau projet politique. Les ultras peuvent bien s'y opposer, le nouveau sens de la liberté est acquis et il n'est plus possible de revenir en arrière ; il sait qu'il se produira une adaptation, que l'on pensera de nouveaux modes de gouvernement capables d'intégrer ce nouveau régime de liberté individuelle sans pour autant évacuer les citoyens de la participation à la vie politique. C'est tout le sens de cette phrase : « Que le pouvoir s'y résigne donc : il nous faut de la liberté, et nous l'aurons, mais comme la liberté qu'il nous faut est différente de celle des Anciens, il faut à cette liberté une autre organisation que celle qui pourrait convenir à la liberté antique. »

Cette nouvelle organisation, c'est le système représentatif – ce mode de gouvernement dans lequel certains sont délégués par les autres, jouissant de la souveraineté, pour gouverner. Ce système permet de rendre compatible la liberté entendue comme indépendance avec la liberté entendue comme participation politique.

Pour nous, lecteurs contemporains et citoyens de démocraties éprouvées par l'histoire, cette conclusion donne au texte toute sa pertinence, d'autant plus que Benjamin Constant n'est pas naïf ; il ne manque pas de relever le principal danger politique du système représentatif : l'abandon progressif de notre pouvoir politique au profit de la jouissance de nos intérêts privés – l'absorption de notre existence politique par la logique de l'intérêt particulier. Et dans cette tension entre la sphère privée et la sphère publique, l'auteur souligne même la tentation des «dépositaires de l'autorité» qui, par nature, poussent le peuple à se détourner de l'exercice de sa liberté politique (car c'est l'inclination naturelle du pouvoir de vouloir s'exercer sans contrôle). Il rappelle ainsi la nécessité d'un contrôle étroit des représentants par le peuple.

Au final, c'est peut-être sur la question de la visée de l'État que ce discours de Constant laisse le plus d'interrogations en suspens. Tout particulièrement, il est étrange de voir Constant, ardent défenseur de la liberté individuelle contre toutes les dérives absolutistes, achever son texte en définissant la visée des institutions comme étant «l'éducation morale des citoyens». Et, à ce titre, l'ensemble du dernier paragraphe de l'essai semble essayer de concilier l'inconciliable : l'État devrait permettre l'élévation morale des citoyens et les engager à participer à la vie politique, tout en veillant soigneusement à ménager leur indépendance. Comment le comprendre ? Faut-il y voir un retour de l'idéal antique ? Cette remarque de Constant se fonde assurément sur une double conviction politique et métaphysique. Sur le plan politique d'abord, les institutions étant là pour garantir la sphère privée, il faut bien que les citoyens réalisent la nécessité de la *pratique* politique. Sur le plan métaphysique surtout, ce paragraphe peut être lu comme la défense d'une certaine vision de l'homme, appelé à ne pas se contenter de ses aspirations individuelles, privées, ou égoïstes. Ainsi, le dessein de l'homme ne saurait être la simple tranquillité (de fait, celle-ci pourrait s'obtenir dans un régime despotique), mais doit viser au dépassement des cadres stricts de la sphère privée. Et pour cela les institutions politiques ont un rôle à jouer.

Louis LOURME

Vie de Benjamin Constant

1767. Le 25 octobre à Lausanne, naissance de Benjamin Henri Constant de Rebecque. Son père est colonel dans un régiment suisse. Sa mère meurt quelques jours après sa naissance.

1774-1781. L'éducation du jeune Benjamin est confiée à six précepteurs successifs et de nationalités différentes. Il accompagne son père lors de voyages à Bruxelles, en Suisse, en Hollande, en Angleterre ou encore en Allemagne.

1783-1785. Il suit les cours de l'université d'Édimbourg.

1785. Premier séjour à Paris.

1789. Il a pris la charge de chambellan à la cour de Brunswick, puis devient conseiller de légation (diplomatie). Mariage avec Wilhelmine von Cramm.

1793. Rencontre, et probablement liaison avec Charlotte de Marenholz, née comtesse de Hardenberg (1769-1845). Séparation des époux Constant (le divorce sera prononcé le 18 novembre 1795).

1794. Il rencontre Germaine de Staël, avec qui il entretient une relation suivie jusqu'en 1811.

1795. Dès son arrivée à Paris en mai, il s'implique dans la vie politique, prend position pour les Républicains puis pour la Constitution de l'An III... *(Lettres à un député de la convention)*. En octobre, le Comité de Salut public décide d'exiler Mme de Staël... Il la suit en Suisse, à Coppet.

1796. Publication de son premier essai politique en mai : *De la force du gouvernement actuel de la France et de la nécessité de s'y rallier.*

1797. Il publie en mai *Des effets de la Terreur.* Il fréquente le Cercle constitutionnel des républicains modérés.

1798. Parution d'un pamphlet : *Des suites de la contre-révolution de 1660 en Angleterre.* Il cherche à obtenir l'investiture de Barras, du Directoire, pour se faire élire député. Échec.

1799. Devenu l'ami de Seyès, il est nommé au Tribunat par Bonaparte. Il participe aux projets de révision constitutionnelle, s'opposant à la tendance de monarchisation du régime (tribunaux spéciaux), et participe à la procédure de validation du Code civil, dont la rédaction est pratiquement achevée. Il est évincé du Tribunat en janvier 1802.

1803. Mme de Staël reçoit un ordre d'exil à 40 lieues de Paris ; Benjamin Constant l'accompagne à Metz, à Göttingen, à Weimar et à Leipzig. Durant les années à venir, l'un et l'autre se retrouveront très régulièrement, au gré des voyages.

1806. Il recroise Charlotte, remariée entretemps avec un émigré français : le vicomte Alexandre Maximilien du Tertre (1774-1851). Il tombe amoureux ; leur mariage sera célébré en secret le 5 juin 1808.

1807. Il traduit la tragédie *Wallenstein* de Schiller (publiée en 1809).

1811. Dernière entrevue avec Mme de Staël.

1812. Le 2 février, mort du père de Benjamin Constant. Le 14 décembre, il est nommé membre correspondant de la Société royale des Sciences de Göttingen.

1814. Il fait paraître : *De l'esprit de conquête et d'usurpation dans leurs rapports avec la civilisation actuelle,* qui s'en prend violemment au règne de Napoléon Ier, et *Réflexions sur les Constitutions, la distribution des pouvoirs et les garanties dans une monarchie constitutionnelle.* Il est chargé par la reine de Naples de la représenter au Congrès de Vienne (novembre 1814-juin 1815).

1815. Publications régulières d'articles politiques. Fin février, Napoléon, exilé à Elbe, revient en France. Il rencontre l'Empereur à plusieurs reprises durant les Cent-Jours ; il est nommé conseiller d'État en avril et travaille à l'Acte additionnel aux constitutions de l'Empire. Après la défaite de Waterloo et l'abdication, il visite l'Empereur. Il se réfugie à Bruxelles.

1816. Départ pour l'Angleterre. Publication d'*Adolphe*. Sa condamnation à l'exil est revoquée. Il revient à Paris fin septembre et fait paraître *Des moyens de rallier les partis en France*.

1817. Le 14 juillet, mort de Mme de Staël, à Paris. Constant prend la défense de Wilfrid Regnault, accusé d'avoir assassiné une veuve en Normandie, en 1815. Tel Voltaire avec Calas, il refait l'enquête, montre les incohérences de l'accusation et ses partis pris politiques (Regnault a été jacobin à Paris). Constant réussit à faire commuer sa peine de mort en vingt années de prison.

1818. Il se présente aux élections législatives dans la circonscription de la Seine. Échec. L'année suivante, il est élu dans la Sarthe.

1820-1822. Publication de la première et de la seconde partie des *Mémoires sur les Cent-Jours*.

1822. Échec lors du renouvellement partiel de la Chambre.

1824. Élu député de Paris. Publication du premier tome de *De la religion considérée dans sa source, ses formes et ses développements*, dont le deuxième tome paraîtra l'année suivante, le troisième en 1827. En tout, cinq volumes sont publiés entre 1724 et 1731.

1827. Importants discours sur le projet de loi relatif à la police de la presse. Élection dans la circonscription du Bas-Rhin. Publication de *Discours de M. Benjamin Constant à la Chambre des députés*, t. I et II.

1828. Échec à l'Académie française.

1830. Avec le maréchal Sebastiani, rédaction d'une déclaration en faveur du duc d'Orléans et des idées libérales. Nouvel échec à l'Académie. Le 26 novembre, dernière apparition à la Chambre. Le 8 décembre, mort de Benjamin Constant qui sera suivie de funérailles nationales. Inhumation au cimetière du Père-Lachaise (division 29).

Repères bibliographiques

OUVRAGES DE BENJAMIN CONSTANT

◆ *Adolphe*, Gallimard, coll. « Folio classique », 2005.

◆ *De l'esprit de conquête : choix d'écrits politiques*,
L'Archange Minotaure, 2003.

◆ *De l'esprit de conquête et de l'usurpation
dans leurs rapports avec la civilisation européenne*,
Flammarion, coll. « Garnier Flammarion », 1993.

◆ *Essais politiques*, Gallimard, coll. « Folio Essais », 1997.

◆ *Œuvres*, Gallimard, coll. « La Pléiade », 1957.

◆ *Principes de politique : applicables à tous les gouvernements*
(version de 1806-1810), Hachette Littératures,
coll. « Pluriel », 2006.

ÉTUDES SUR BENJAMIN CONSTANT

◆ Bastid (Paul), *Benjamin Constant et sa doctrine*, 2 vol.,
Armand Colin, 1966.

◆ Holmes (Stephen), *Benjamin Constant
et la genèse du libéralisme moderne*, PUF, 1994.

◆ Raynaud (Philippe), « Constant Benjamin, le libéralisme
français après la Révolution », *Dictionnaire d'éthique et de
philosophie morale*, PUF, coll. « Quadrige », 2001, p. 336-340.

◆ Travers (Emeric), *Benjamin Constant :
les principes et l'histoire*, H. Champion, 2005.

Mille et une nuits propose des chefs-d'œuvre pour le temps
d'une attente, d'un voyage, d'une insomnie…

La Petite Collection (extrait du catalogue) 540. Frédéric
H. FAJARDIE, *Une charette pleine d'étoiles.* 541. Arthur
SCHOPENHAUER, *Métaphysique de l'amour sexuel.* 542. Khalil
GIBRAN, *Jésus, Fils de l'Homme.* 543. Emily BRONTË, *Devoirs de
Bruxelles.* 544. COLLÈGE DE PATAPHYSIQUE, *Le Cercle des pata-
physiciens.* 545. Sébastien BAILLY, *Le Meilleur de l'humour noir.*
546. SÉNÈQUE, *L'Art d'apaiser la colère.* 547. Sébastien BAILLY,
Le Meilleur de l'amour. 548. ARISTOPHANE, *Lysistrata. Faisons
la grève du sexe.* 549. Friedrich ENGELS, *La Situation des classes
laborieuses en Angleterre. Dans les grandes villes.* 550. Georges
COURTELINE, *La Philosophie de Georges Courteline.* 551. Blaise
PASCAL, *Trois Discours sur la condition des grands.* 552. Élisée
RECLUS, *L'Anarchie.* 553. François CARADEC, *Entrez-donc, je vous
attendais.* 554. Benjamin FRANKLIN, *Bagatelles et autres textes.*
555. Honoré de BALZAC, *Z. Marcas.* 556. Pierre-Auguste RENOIR,
L'Amour avec mon pinceau. 557. Joachim DU BELLAY, *Deffence &
Illustration de la langue françoyse.* 558. Blaise PASCAL, *« Il faut
parier ».* 559. Patrick BESSON, *Les Années Isabelle.* 560. Sébastien
BAILLY, *Le Meilleur de la bêtise.* 561. Arthur SCHOPENHAUER,
Sur le besoin métaphysique de l'humanité. 562. Edgar Allan POE,
Le Démon de la perversité et autres contes. 563. KARL-DES-MONTS,
Un martyre dans une maison de fous. 564. PLUTARQUE, *De la supers-
tition.* 565. Jean-Hugues LIME, *100 raisons de ne pas se suicider au
boulot.* 566. Benjamin CONSTANT, *De la liberté des Anciens comparée
à celle des Modernes.* 567. Charles BAUDELAIRE, *Le Peintre de la vie
moderne.* 568. Marc ELDER, *À Giverny, chez Claude Monet.* 569. Érik
SABLÉ, *Petit traité des étoiles.*

Pour chaque titre, le texte intégral, une postface,
la vie de l'auteur et une bibliographie.

42.0611.6/01
Achevé d'imprimer en mai 2010
par La Nouvelle Imprimerie Laballery (Clamecy, France).

N° d'impression : 004239

Pour l'éditeur, le principe est d'utiliser des papiers composés de fibres naturelles, renouvelables, recyclables et fabriquées partir de bois issus de forêts qui adoptent un système d'aménagement durable. En outre, l'éditeur attend de ses fournisseurs de papier qu'ils s'inscrivent dans une démarche de certification environnementale reconnue.